Whitchurch-Stouffville Public Library

D1444315

J
French
523
.8
Asi

Asimov, Isaac, 1920-
    Pulsars, quasars et trous noirs / Isaac Asimov ;
traduit de l'americain par Robert Giraud. -- [Paris] :
Père Castor ; Flammarion, c1988.
    [32] p. : col. ill. -- (Bibliothèque de l'univers)

Bibliographie: p. [30].
04174410   LC:87042596   ISBN:(ec.)

1. Cosmology. 2. Astronomy. 3. Stars. 4. Black holes (
Astronomy) I. Title

2284   91JUL08   41/   1-00969759

La vie des étoiles

On trouve des étoiles de toutes les
tailles. Certaines sont plus grandes et plus
brillantes que le Soleil, d'autres moins. Toutes
sont formées principalement d'hydrogène,
qui est le plus léger des éléments. D'infimes
particules d'hydrogène, en se percutant,
se combinent pour donner de l'hélium,
l'élément dont le poids est immédiatement
supérieur à celui de l'hydrogène. C'est
l'énergie de ces chocs qui est à l'origine
du rayonnement des étoiles.
C'est elle aussi qui les empêche de
s'effondrer sous l'action de la gravité. Les
grosses étoiles ont un stock initial d'hydrogène
plus important, mais leur centre est plus
chaud que celui des petites étoiles, aussi
brûlent-elles leurs réserves de combustible
plus rapidement que ces dernières.

◀ La fabrication de l'hélium. Ce
schéma montre comment la fusion
d'hydrogène en hélium pourrait
être réalisée sur Terre afin de produire
de l'énergie. Il se trouve que les
deux atomes d'hydrogène ou, plus
exactement, un de deutérium (en haut
à gauche) et un de tritium (en bas
à gauche) ont une masse légèrement
supérieure à celle de l'hélium (en
bas à droite) et du neutron (en haut
à droite) dégagés par la réaction.
Cette différence de masse explique
l'extraordinaire dégagement d'énergie
de la réaction. L'éclat du Soleil est
dû à une autre forme de fusion
productrice d'hélium.

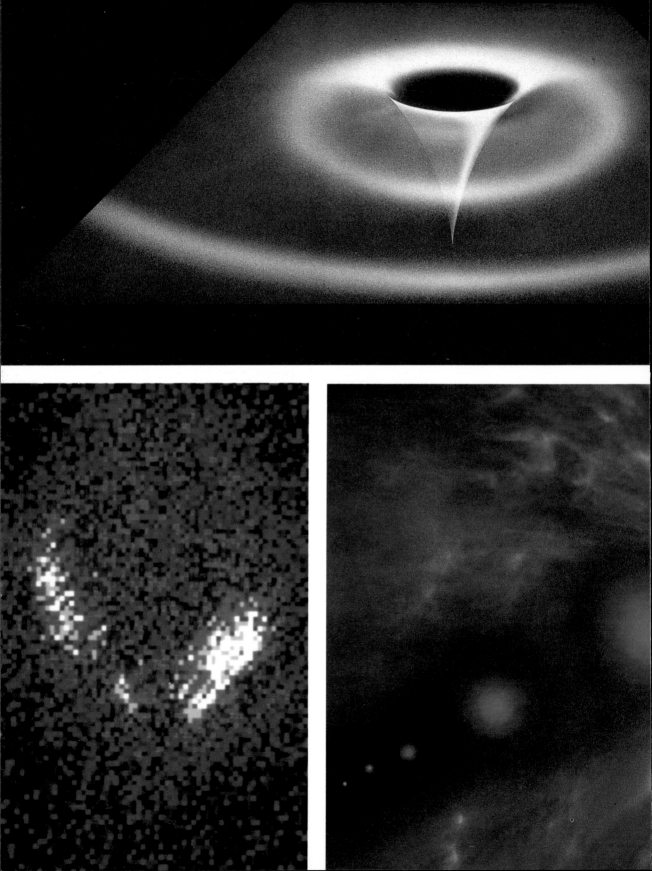

De géante rouge à supernova : la mort violente d'une étoile

A mesure qu'une étoile rayonne de l'énergie, son centre s'échauffe et ses réserves d'hydrogène s'épuisent. L'accroissement de chaleur dilate l'étoile, et ses couches extérieures, à force de s'éloigner, se refroidissent et prennent une coloration rouge. L'étoile est devenue une géante rouge. Comme elle continue à briller, son centre finit par tomber en panne de combustible et par s'effondrer sur lui-même, ce qui élève la température des couches rouges extérieures. Si l'étoile est suffisamment grande, ces couches explosent. Apparaît alors ce qu'on appelle une supernova. Pendant un certain temps, la force de l'explosion rend la supernova aussi brillante que toute une galaxie. Au cours de l'explosion, une partie de la matière de l'étoile est projetée dans l'espace. Ce qui demeure sur place devient soit une étoile à neutrons, soit un trou noir.

9

▲
Ce qu'est un trou noir : les restes d'une étoile qui a explosé peuvent être si denses qu'ils retiennent prisonnière la lumière même qu'ils émettent. Malgré le nom de « trou », ce sont des objets d'une masse prodigieuse. Ce dessin montre comment la gravité extraordinairement élevée de l'étoile morte crée une sorte de piège d'où rien ne s'échappe.

◄
Une disparition qui ne passe pas inaperçue : une étoile se transforme en supernova.

◄◄
Ce qui subsiste d'une supernova, vu sur une photo prise par satellite et traitée sur ordinateur. On y voit les jets de matière projetés par l'explosion.

La naine blanche : une étoile terriblement comprimée

Quand une étoile moyenne, comme le Soleil, s'effondre sur elle-même, sa gravité la réduit aux dimensions d'une petite planète, mais sa masse, elle, demeure intacte. On a ainsi un petit astre chauffé à blanc, d'où le nom de naine blanche. Supposons que le Soleil se réduise aux dimensions de la Terre, ou même moins, et que l'on en prélève une parcelle grande comme votre petit doigt. Eh bien, cette parcelle pèserait près de 20 tonnes ! Si l'étoile, initialement, était plus grosse que le Soleil, sa gravité l'écrasera encore plus. On aura alors une étoile à neutrons, où toute la masse se trouve condensée en une sphère de quelque 16 km de diamètre.

▼ Vous voyez ici une étoile double, ou système binaire. Le plus grand des deux astres (en jaune) est une étoile normale, et son petit compagnon est une étoile à neutrons. Autour de cette dernière on remarque un disque d'accrétion, fait de matière arrachée à l'étoile normale par la forte gravité de l'étoile à neutrons. La matière transférée dans le disque tourbillonne et vient heurter l'étoile à neutrons qui occupe le centre du disque. La gravité de cette étoile est si élevée que tout choc à sa surface dégage des quantités énormes d'énergie. La chute d'un simple chewing-gum sur une étoile à neutrons, par exemple, libérerait autant d'énergie que la bombe atomique d'Hiroshima.

▶ Ce dessin tente de vous faire comprendre ce que représentent 20 tonnes et, du même coup, ce qui se passe quand une étoile se contracte en naine blanche. Vous prenez un camion malaxeur pour le transport du béton et vous imaginez qu'il se réduise à la taille de votre petit doigt, mais sans cesser de peser ses 20 tonnes.

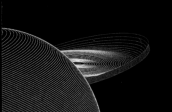
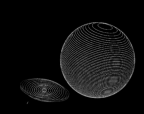
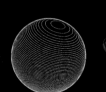

L'étoile à neutrons : quelle masse pour une si petite taille !

Notre Soleil est trop petit pour pouvoir se transformer un jour en étoile à neutrons. Supposons néanmoins que cela se produise. Que se passerait-il alors? Toute sa masse se trouverait comprimée en une sphère de quelque 13 km de diamètre, ce qui revient à dire que l'étoile à neutrons n'occuperait qu'un millionième de milliardième de l'espace rempli actuellement par le Soleil, mais chaque parcelle de matière de cette petite sphère pèserait un million de milliards de fois plus qu'une parcelle équivalente de matière solaire. Supposez que vous vous soyez fabriqué un crayon à bille avec de la substance d'étoile à neutrons. Au lieu de peser une quinzaine de grammes, votre crayon atteindrait 15 milliards de tonnes.

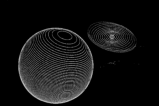

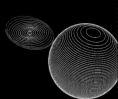

De vrais phares célestes

En 1054, les Chinois, les Arabes et
les Indiens d'Amérique qui observaient
le ciel aperçurent une supernova qui avait
explosé à 6 500 années-lumière de nous. (Une
année-lumière est la distance parcourue par
la lumière en une année, à la vitesse de
300 000 km à la seconde.) La supernova a
formé un immense nuage de poussières
et de gaz en expansion, que l'on voit encore
de nos jours et qui est appelé la nébuleuse
du Crabe. En son centre se trouve une
minuscule étoile à neutrons. C'est tout ce qui
reste de l'astre d'avant l'explosion. Cette étoile à
neutrons tourne sur elle-même trente-trois fois
par seconde et émet à chaque rotation une
impulsion d'énergie ou pulse qui prend la forme
d'ondes radioélectriques. C'est en 1969 que
l'on a décelé pour la première fois des pulses
provenant de la nébuleuse du Crabe et que
l'on a donné le nom de pulsars aux étoiles à
neutrons. Le pulsar du Crabe émet également
des pulses de lumière, clignotant ainsi
trente-trois fois par seconde.

▶ La nébuleuse du Crabe. En
1054, les astronomes y ont aperçu
une supernova dont les résidus sont
encore visibles aujourd'hui sous
forme d'un nuage de gaz chauds. Les
techniques modernes nous permettent
de photographier ce nuage de façon
à faire apparaître sa composition
chimique. C'est ainsi que l'on voit sur
ce cliché les émissions de l'hydrogène
(en rouge) et du soufre (en bleu)
provenant de la nébuleuse.

▼ Les régions intérieures chaudes
du Crabe. La tache brillante représente
le pulsar du Crabe. En une seconde,
il s'allume et s'éteint 33 fois.
Le cliché le montre allumé.

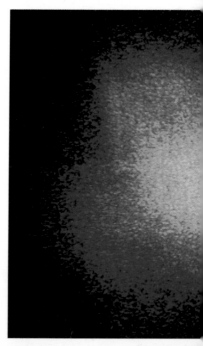

● Des étoiles nous parlent

C'est une jeune étudiante en
astronomie, Jocelyn Bell, qui
a détecté la première, en 1969,
des ondes radio intermittentes
venant du ciel. On a d'abord
pensé qu'il s'agissait peut-être
de signaux provenant d'êtres
intelligents, et on leur a donné
pour cette raison le nom de
Petits Hommes verts. Mais les
oscillations étaient si régulières
que cette hypothèse a dû être
abandonnée. Ce que Jocelyn
Bell avait découvert, c'étaient les
pulsars, ou étoiles à neutrons,
qui émettent des ondes radio à
chacune de leurs rotations.

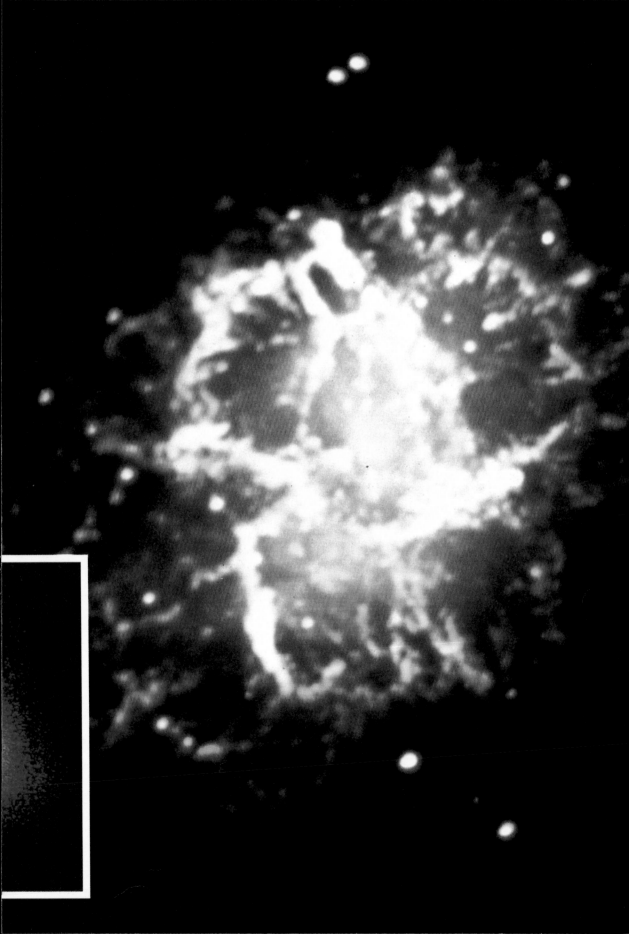

L'espace est percé !

Nous savons que la gravitation est
une force qui attire les corps les uns vers
les autres. Mais comment se la représenter?
Servons-nous pour cela d'une feuille de
caoutchouc mince. Tout objet lourd posé sur
cette feuille mince s'y enfonce, et ceci d'autant
plus qu'il est plus lourd. Si l'objet est de petite
taille, son poids sera concentré sur une
zone plus réduite et, par conséquent, la feuille
de caoutchouc se creusera davantage. Une
naine blanche s'enfoncera plus que la Terre,
mais moins qu'une étoile à neutrons. Plus un
creux est profond, et plus il est difficile d'en
sortir si l'on vient à y tomber.
Il existe donc peut-être des objets si petits
et si lourds que rien ne peut s'échapper
des puits qu'ils forment.

15

! Pourquoi ne pas régler sa montre sur les pulsars ?

Les pulsars ont une rotation si
régulière que les astronomes
pourraient s'en servir comme
d'horloges presque parfaites. Et
de fait, on les a déjà utilisés
pour indiquer la position de la
Terre dans la Galaxie. A bord
des sondes Pioneer 10 et 11 se
trouvaient des plaques contenant
des renseignements sur notre
planète, et les cartes tracées sur
ces plaques avaient pour points
de référence les emplacements
de pulsars. Les spécialistes sa-
vent que, si ces plaques sont
découvertes un jour par d'autres
habitants de l'Univers, dans des
millions d'années peut-être,
les périodes de rotation des
pulsars n'auront pratiquement
pas varié d'ici là. Aussi ces
cartes permettront-elles à ceux
qui les liront de repérer l'empla-
cement de la Terre par rapport
à n'importe quel point de la
Galaxie.

◄ Ce diagramme montre la pression
gravitationnelle exercée par plusieurs
corps célestes. De gauche à droite :
le Soleil, une étoile à neutrons et un
trou noir. Vous voyez que le Soleil,
malgré sa taille, ne déforme presque
pas la grille, tandis que l'étoile à
neutrons, avec sa forte concentration
de masse, la tord déjà sensiblement.
Quant au plus petit des trois objets
célestes, le trou noir, il exerce une
pression gravitationnelle phénoménale,
qui bouleverse complètement la grille.

Les trous noirs

Il est très difficile de résister à
l'attraction de petits corps massifs. Avec
une étoile à neutrons, la lumière, les ondes
radioélectriques et les électrons peuvent encore
s'échapper, mais, si l'objet est plus petit et
massif, aucun espoir ne subsiste. Même
la lumière ne peut se dégager de son emprise.
Dans ce cas, si rien de ce qui y est entré
n'en ressort, c'est comme s'il y avait un trou
dans l'espace. Et ce trou, ne pouvant émettre
de lumière, est noir. L'explosion et la contraction
des étoiles géantes aboutissent à l'apparition
d'objets si denses, si compacts qu'ils sont
véritablement des trous noirs.

16

Les doubles pulsars :
un nid à problèmes

Les astronomes ont découvert des cas où deux pulsars tournent l'un autour de l'autre à faible distance. Comme ils émettent des radiations, ils perdent de l'énergie. Ils se rapprochent donc légèrement à chaque tour. Un jour, ils finiront par entrer en collision. Que peut-il bien se passer quand deux pulsars se heurtent ? Les deux masses se réuniront et l'astre deviendra si grand que, sous l'effet de sa gravité, il se contractera en trou noir. On ne voit pas jusqu'à présent comment la formation d'un trou noir de ce type peut être décelée par nos instruments.

▶ Ce cliché radio a enregistré ce qui pourrait être un trou noir dans la nébuleuse d'Andromède.

▲ Ces quatre clichés, pris par un radiotélescope, nous montrent l'étoile SS 433 à des intervalles d'un mois. Du centre de cette étoile jaillissent des jets jumelés de gaz brûlants. Ces jets s'éloignent de l'astre à 290 millions de km à l'heure, soit le quart de la vitesse de la lumière! Certains savants pensent qu'il pourrait s'agir d'un trou noir.

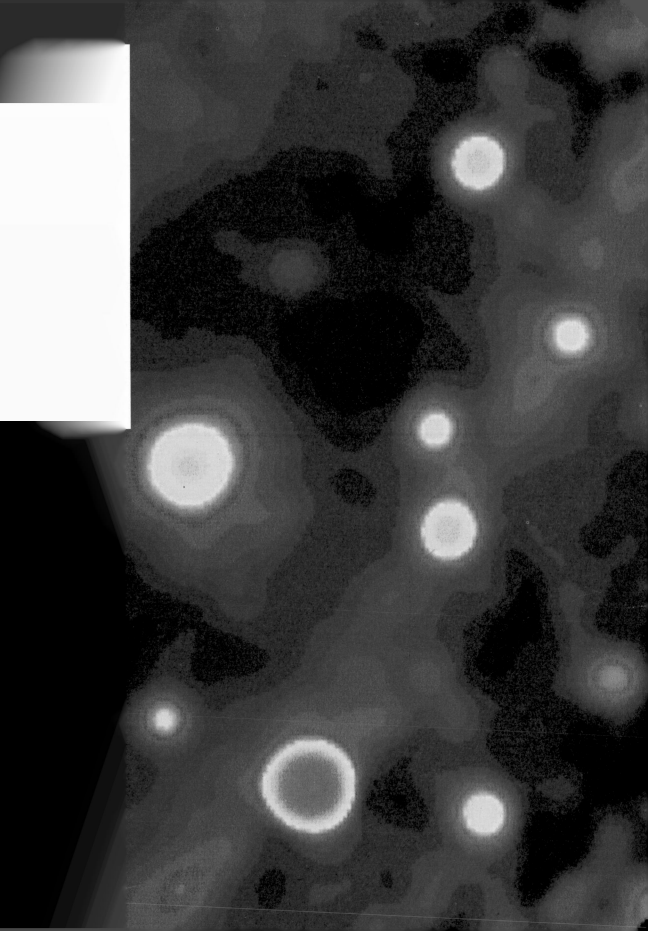

A quoi reconnaître un trou noir ?

Si même la lumière ne peut s'évader d'un trou noir, comment pouvons-nous le voir et déceler sa présence? Qu'est-ce qui nous permet d'affirmer qu'il en existe? La solution nous est fournie par les étoiles voisines. Si un trou noir se trouve à proximité d'une étoile, il attire la matière qui la constitue. Cette matière tourbillonne autour du trou noir sous forme d'une spirale aplatie appelée disque d'accrétion. Elle émet des rayons X, perd de l'énergie et finit par tomber dans le trou noir. Si nous sommes dans l'incapacité d'apercevoir le trou noir, les rayons X, eux, sont détectables.
Dans la constellation du Cygne, par exemple, les astronomes ont décelé des rayons X provenant d'une grande étoile qui semble tourbillonner autour de quelque chose que nous ne voyons pas. Ce "quelque chose" est probablement un trou noir.

19

? Les minitrous noirs sont-ils un maxiproblème ?

Le savant anglais Stephen Hawking a montré récemment que les trous noirs étaient susceptibles de s'évaporer lentement et de se transformer en gaz raréfié. Plus ils sont petits et plus vite ils s'évaporent. Au début de l'Univers, des trous noirs de toutes les tailles se sont peut-être formés, certains étant de la taille d'une planète ou même, qui sait, d'un astéroïde. Si ces trous se sont ensuite dispersés dans l'espace, nous sommes incapables de les détecter, à moins qu'ils ne soient à très faible distance. Que se passerait-il si un minitrou noir s'approchait de notre système solaire? Nous l'ignorons. Souhaitons qu'il s'évapore avant de nous avoir atteint !

◀ Ce disque d'accrétion, mince, plat et spiralé signifie qu'un trou noir aspire la substance d'une étoile voisine. Les rayons X émis par la matière tourbillonnante nous révèlent l'existence du trou noir, qui est lui-même invisible.

On nous cache quelque chose

Il est impossible de scruter le cœur d'une galaxie, qui est masqué par un nombre considérable d'étoiles. Mais il émet des ondes radio et des rayons X, que nous sommes capables de capter. Le dégagement de cette radiation absorbe une quantité importante d'énergie. Le problème est de savoir par quoi elle est fournie. Certains astronomes supposent que les noyaux galactiques pourraient contenir des trous noirs, sous l'action desquels la matière des étoiles voisines s'enroulerait en tourbillons en émettant des ondes électromagnétiques. Les trous noirs ordinaires du type de celui du Cygne ont sans doute la même masse que les grandes étoiles. Mais ceux du centre des galaxies pourraient être aussi massifs qu'un million, ou même, qui sait, un milliard d'étoiles.

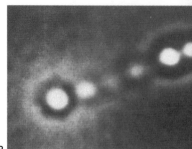

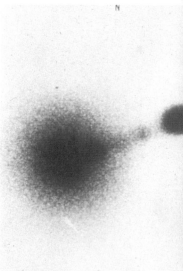

1. 2. 3. La galaxie elliptique géante M 87 semble avoir pour centre un trou noir. En effet, des milliards d'étoiles y tournent autour d'un objet gigantesque qui n'émet aucune lumière. Les scientifiques pensent que c'est un trou noir dans lequel a pu s'engloutir la masse de 5 milliards d'étoiles de la taille de notre Soleil. Vous pouvez distinguer sur ces images le jet projeté par le cœur de M 87. Ce jet prend parfois l'aspect d'un doigt noueux.

►► Les astronomes pensent que le noyau de certaines galaxies pourrait abriter un trou noir. Ce trou noir aspirerait la matière ambiante, mais, ne pouvant l'absorber assez vite, il en rejetterait une partie sous forme de jets de matière, bien au-delà des limites de la galaxie.

Les quasars, dernières sentinelles de l'Univers ?

L'Univers n'a jamais fini de nous étonner, de nous dérouter en nous proposant de nouveaux objets. Un groupe de ces objets ressemble à des étoiles ternes. Les astronomes ont pensé un moment qu'il s'agissait d'étoiles ordinaires de notre propre Galaxie, à la seule différence qu'elles émettaient des ondes radio. Puis on les a observées plus attentivement, on a étudié leur lumière et, en 1963, les spécialistes ont calculé que ces objets étaient éloignés de nous d'1 à 10 milliards d'années-lumière. Les astronomes n'ont pas tardé à découvrir beaucoup d'autres de ces étoiles qui n'étaient pas des radiosources, mais se situaient à la même distance qu'elles. Tout récemment, en 1987, des chercheurs anglais et américains ont repéré un objet qui pourrait être à 12 milliards d'années-lumière. Il s'agit de galaxies si lointaines que, normalement, on ne devrait pas les apercevoir, si leurs noyaux n'avaient un éclat exceptionnel, cent fois supérieur à celui des noyaux des galaxies ordinaires. Ce sont ces noyaux que l'on appelle des quasars. Le mot quasar est une contraction de quasi et stellar qui, pris ensemble, signifient « semblable à une étoile ». L'éclat des quasars peut s'expliquer par la présence de vastes trous noirs en leur milieu. Ces trous noirs aspireraient la matière lumineuse ambiante, qu'il s'agisse de simples poussières ou même d'étoiles entières.

▶ Si nous pouvions scruter les confins de l'Univers, nous y découvririons peut-être des galaxies nouvellement formées, telle cette spirale qui a un quasar comme noyau.

▼ L'interaction d'un quasar avec une galaxie voisine : le quasar attire de la matière vers son centre.

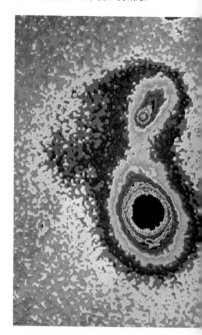

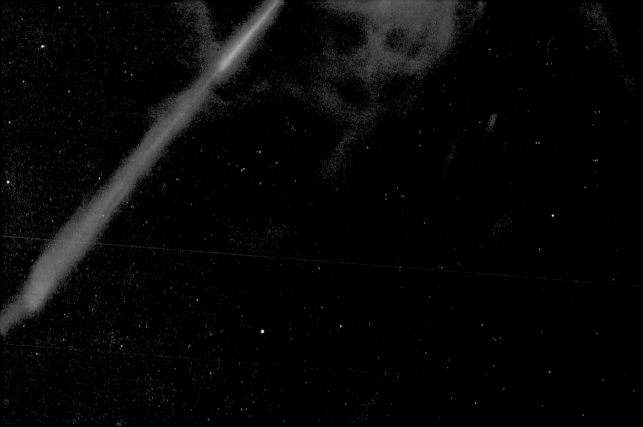

Où les astronomes voient rouge

Que signifie exactement le décalage vers le rouge? Nous pouvons recevoir de la lumière bleue des atomes d'hydrogène d'une galaxie, comme dans le cas de celle de gauche. Quand nous avons affaire à des galaxies de plus en plus éloignées de la Terre, comme celles qui figurent sur la droite de l'illustration, leur lumière va nous paraître de plus en plus rouge. Les raies du spectre ci-dessous sont davantage décalées vers le rouge quand il s'agit de galaxies situées à une plus grande distance de la Terre.

Le quasar de gauche semble exercer son action sur la galaxie de droite. Cette photo en fausses couleurs fait penser à un poulet. La grande question est de savoir si la tête et le corps du « poulet » sont effectivement rattachés l'un à l'autre par un «cou» formé de matériaux de liaison. La plupart des astronomes pensent plutôt qu'en fait, le quasar est situé loin au-delà de la galaxie.

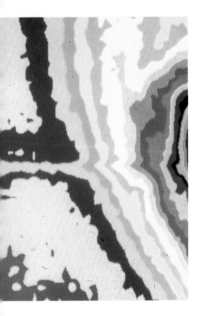

Qu'est-ce qui nous permet de dire que les quasars sont si éloignés? Parce qu'il existe des instruments capables de décomposer la lumière de n'importe quelle étoile en un arc-en-ciel, ou spectre, de rouge, d'orange, de jaune, de vert, de bleu et de violet. Cet arc-en-ciel est strié de raies sombres. Si une source de lumière s'éloigne de nous, les raies sombres se déplacent, se décalent, vers l'extrémité rouge du spectre. Et plus grande est la vitesse de la source, plus fort est ce décalage vers le rouge. Puisque l'Univers est en expansion, les objets distants s'éloignent toujours davantage et présentent donc un décalage vers le rouge. Ce décalage est fonction de leur éloignement. Les premiers quasars découverts ont manifesté un décalage vers le rouge bien supérieur à tout ce que l'on avait enregistré jusque-là. Les scientifiques en conclurent qu'ils représentaient les plus éloignés de tous les objets connus de l'Univers. Mais, en 1988, des astronomes de l'Université de l'Arizona ont annoncé qu'ils avaient repéré des objets qui pourraient se situer encore au-delà et être beaucoup plus anciens que tous les quasars recensés. Ces objets se trouveraient à une distance susceptible d'atteindre 17 milliards d'années-lumière. Il ne s'agirait plus de quasars, mais de galaxies primitives, aux premiers stades de leur développement.

▲ La Voie lactée et la nébuleuse
d'Andromède : se heurteront-elles,
ou se contenteront-elles de se frôler,
en culbutant au passage notre Soleil ?
Dans un cas comme dans l'autre,
nous avons 4 milliards d'années
devant nous pour prendre nos
dispositions.

▶ Le centre de notre Galaxie,
ou Voie lactée, émet des ondes
radio produites par des gaz chauds.
Ce cliché en fausses couleurs indique
en rouge les régions où les gaz
sont les plus denses. Pourrait-il y
avoir un trou noir à quelque 30 000
années-lumière de nous ?

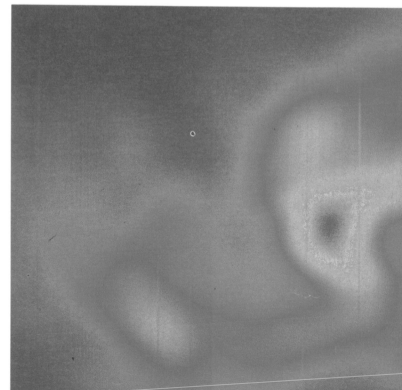

La Voie lactée a-t-elle été un quasar ?

Quand nous regardons un quasar distant de 12 milliards d'années-lumière, c'est que la lumière qu'il produit a mis 12 milliards d'années pour nous parvenir. Nous voyons donc le quasar tel qu'il était il y a 12 milliards d'années, c'est-à-dire à un moment où ce quasar lui-même et tout l'Univers (auquel les scientifiques donnent actuellement de 15 à 20 milliards d'années) étaient en pleine jeunesse. La distance énorme à laquelle se trouvent les quasars pourrait signifier que les jeunes galaxies, à l'éclat très vif, ont plus de chances que les vieilles d'être des quasars. Notre Voie lactée a peut-être été elle aussi un quasar il y a des milliards d'années, avant de s'assagir. Tant mieux pour nous, car un noyau de galaxie doté de l'éclat d'un quasar inonde la galaxie de tant d'énergie qu'il empêche toute vie de s'y développer. Et dans ce cas, nous ne serions pas là aujourd'hui pour nous poser toutes ces questions!

? Les rendez-vous de galaxies sont-ils la principale menace qui pèse sur notre avenir ?

La Voie lactée et la nébuleuse d'Andromède évoluent au sein du même groupement de galaxies, s'éloignant et se rapprochant alternativement l'une de l'autre. Un savant a calculé récemment que les deux galaxies se percuteraient dans environ 4 milliards d'années. Imaginez ces deux gigantesques systèmes, qui contiennent chacun quelques centaines de milliards d'étoiles, fonçant l'un sur l'autre ! En fait, les étoiles de chaque galaxie sont tellement espacées que les collisions seraient extrêmement rares, peut-être même inexistantes. Les galaxies, simplement, s'interpénétreraient. Mais la gravitation provoquerait des secousses terribles qui pourraient, par exemple, expédier promptement notre Soleil hors de sa galaxie. De toute façon ce n'est pas pour demain !

Quelques repères

La distance qui nous sépare des quasars dans l'espace comme dans le temps dépasse notre imagination. Certains d'entre eux, pense-t-on, sont à 12 milliards d'années-lumière de nous, et les astronomes ont longtemps cru que c'étaient les plus vieux des objets visibles de l'Univers. Actuellement, les spécialistes pensent avoir repéré des objets situés à 17 milliards d'années-lumière et qui seraient des galaxies primitives. Nous les voyons telles qu'elles étaient aux premières étapes de leur évolution, avant que l'Univers soit en mesure de produire les quasars. Mais ces derniers demeurent insurpassés en puissance ; la plupart des astronomes estiment encore aujourd'hui que ce sont les plus puissantes sources d'énergie du ciel.

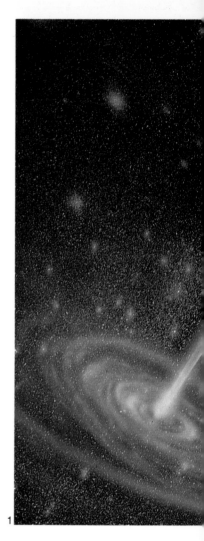

1

► L'image 1 reproduit une galaxie spirale avec un quasar en son centre.

►► L'image 2 nous donne un gros plan du noyau de la galaxie, avec le trou noir qui pourrait en être le cœur.

Image 1

Sujet :
- Une galaxie spirale violemment agitée, dans les profondeurs du cosmos.

Caractéristiques :
- Un quasar à énergie élevée au cœur de la galaxie.
- La présence possible d'un trou noir en plein centre.
- Un disque d'accrétion, tourbillon gravitationnel de gaz chauds, formant un anneau qui alimente le trou noir et le quasar.
- Des jets de gaz qui expulsent les particules en excédent.

Image 2

Sujet :
- Vue détaillée du cœur de la galaxie, avec son quasar et le trou noir qui en forme le centre.

Caractéristiques :
- Vue plongeante du disque d'accrétion. Ce disque pourrait avoir un diamètre cent fois supérieur à celui du système solaire.
- Le trou noir au centre du disque. Il est dissimulée derrière un gigantesque tourbillon de matière stellaire. Un trou noir de ce genre pourrait avoir la même masse que plusieurs milliards d'étoiles de la taille du Soleil, mais comprimée dans le même espace que le système solaire.
- Les jets qui projettent la matière perpendiculairement au disque d'accrétion. Il s'agit d'un excédent de matière qui dépasse les possibilités d'absorption du disque et qui est projeté à des distances pouvant atteindre des millions d'années-lumière, soit plus que celle qui sépare notre Voie lactée de sa plus proche voisine, la galaxie d'Andromède.

jet de gaz

trou noir

disque d'accrétion

Que lire, que visiter, où se renseigner ?

Si ce volume vous a donné l'envie
d'en savoir plus sur ces objets célestes
qui défient toute représentation,

Lisez :
- *Soleils éclatés*,
par Thierry Montmerle et
Nicolas Prantzos, aux Presses
du CNRS (1988) ;
- *Les quasars*, par Suzy Collin
et Grazyna Stasinski,
aux éditions du Rocher (1987) ;
- *Poussières d'étoiles*,
par Hubert Reeves,
au Seuil (1984) ;
que vous consulterez dans une
bibliothèque ou demanderez
à votre libraire.

Allez visiter :
en France :
- le palais de la Découverte,
à Paris, Grand Palais, métro
Franklin-D.-Roosevelt ou
Champs-Élysées Clemenceau ;
- la Cité des Sciences et de
l'Industrie de la Villette, à Paris,
métro Porte de La Villette ;
- l'observatoire le plus proche
de votre localité. Pour connaître
son adresse, écrivez
à l'Observatoire de Paris,
61, avenue de l'Observatoire,
75014 Paris.

Et, si vous habitez le Canada :
- Planétarium Dow
1000 ouest, rue St-Jacques
Montréal, Qc H3C 1G7 ;
- Ontario Science Centre,
770, Down Mills Road
Toronto, Ontario M3C 1T3 ;
- Royal Ontario Museum,
100, Queen Park, Toronto,
Ontario M5S 2C6 ;
- National Museum of Natural
Sciences,
Coin McLeod et Metcalfe
Ottawa, Ontario K1P 6P4 ;

Si vous voulez connaître
les **clubs d'astronomie** de
votre région, adressez-vous
aux associations suivantes :

en France :
- Association française
d'astronomie,
tél. (1) 45 89 81 44 ;
- Société astronomique de
France ,
tél. (1) 42 24 13 74 ;

en Belgique :
- Cercle astronomique de
Bruxelles (CAB),
43, rue du Coq, 1180 Bruxelles;
- Société astronomique
de Liège (SAL) ;
- Institut d'astrophysique de
l'université de Liège,
4200 Cointe-Liège,
tél. 041/52 99 80 ;

en Suisse :
- Société astronomique
de Suisse (SAS),
Hirtenhofstrasse 9,
6006 Lucerne ;
- Société vaudoise d'astronomie
(SVA),
chemin de Pierrefleur 22,
1004 Lausanne ;

au Québec :
- Société astronomique
de Montréal,
tél. (514) 453 0752.

Regardez :
Les émissions du Club
ASTR3NAUTE, sur FR3.
Pour les horaires :
Tél : 46.22.52.72
Ce club vous est également
accessible par Minitel : 3615,
code FR3 AST.

Écrivez :
- à l'Association française
d'astronomie, 17 rue Émile-
Deutsch-de-La-Meurthe,
75014 Paris.
Vous pouvez également
expédier votre demande de
renseignement à la boîte aux
lettres du service SOSASTRO
de l'Association française
d'astronomie en faisant
sur Minitel 3615, code AFA,
puis en choisissant
le service « Astronef » ;
- à la Société astronomique
de France (SFA),
3, rue Beethoven, 75016 Paris.

Crédits photo : page de couverture, © Mark Paternostro ; p. 4/5 haut, © Mark Paternostro 1988, bas, NOAO ; p. 6/7, Sally Bensusen 1987 ; p. 8/9 haut, © Mark Paternostro 1988, bas gauche, ESA, bas droit, © Mark Paternostro 1988 ; p. 10/11 haut, © Lynette Cook 1988, bas, William Priedhorsky ; p. 12/13, Smithsonian Institution ; p. 13, NOAO ; p. 14/15, © Julian Baum 1988 ; p. 16/17, NRAO ; p. 18/19, © Mark Paternostro 1988 ; p. 20 haut, Smithsonian Institution, bas, Halton C. Arp ; p.21, © Mark Paternostro 1988 ; p. 22, NOAO ; p.23, © Mark Paternostro 1988 ; p. 24, © Adolf Schaller 1988 ; p. 24/25, NOAO ; p. 26/27 haut, © Mark Paternostro 1983, bas, NRAO ; p.28/29, © Michael Carroll 1987 ; p. 29, © Mark Paternostro 1988

Lexique

Accrétion :
Capture de matière par un astre à forte gravité. La matière ainsi aspirée peut former autour de certains objets un disque d'accrétion.

Année-lumière :
Distance parcourue par la lumière en une année, soit environ 9,5 billions de km.

Deutérium :
L'un des deux isotopes radioactifs de l'hydrogène (l'autre est le tritium). Combiné à de l'oxygène, il donne de l'eau lourde.

Étoile à neutrons :
Étoile dont la masse, celle d'une grosse étoile ordinaire, a été comprimée jusqu'à ne plus former qu'une petite boule.

Fausses couleurs :
Les photos des corps célestes ne comportent en général que différentes nuances de gris. Pour les rendre plus contrastées, et donc plus lisibles, on en modifie artificiellement les couleurs, en particulier par traitement informatique.

Galaxie :
Vaste groupement d'étoiles, avec les satellites de ces étoiles, de gaz et de poussières. Une galaxie peut compter jusqu'à 10 milliards d'étoiles. Celle où nous nous trouvons s'appelle la Voie lactée.

Géante rouge :
Étoile qui prend des dimensions gigantesques après avoir brûlé presque tout son hydrogène et que l'excès de chaleur fait se dilater. Ses couches extérieures, en se refroidissant, prennent une coloration rouge.

Gravitation :
Force universelle qui attire les étoiles, les planètes, leurs satellites et les autres corps célestes les uns vers les autres.

Gravité :
Force d'attraction exercée par un corps céleste.

Hélium:
Gaz léger, incolore, l'un des principaux produits de l'activité des étoiles.

Hydrogène :
Gaz incolore et sans odeur, le plus simple et le plus léger de tous les éléments. Les étoiles sont composées aux trois quarts d'hydrogène.

Naine blanche :
Petit objet chauffé à blanc qui survit à l'effondrement sur elle-même d'une étoile semblable à notre Soleil.

Nébuleuse du Crabe :
Immense nuage de poussières et de gaz en expansion, visible depuis la Terre. Il a été mentionné pour la première fois en 1054 et représente le résultat d'une supernova.

Nébuleuse d'Orion :
L'un des gigantesques nuages de poussières et de gaz qui donnent naissance aux étoiles.

Ondes électromagnétiques :
Rayonnement émis par une source d'énergie sous forme de lumière visible ou d'ondes radio.

Ondes radio (ou radioélectriques) :
Rayonnement d'énergie sur une longueur d'onde supérieure à celle de la lumière visible, et qui ne peut donc être capté que grâce à un récepteur radio.

Pulsar :
Étoile à neutrons qui émet des impulsions rapides (ou pulses) de lumière ou d'ondes électriques.

Quasar :
Objet d'aspect stellaire qui occupe le centre d'une galaxie et qui peut avoir un grand trou noir en son milieu.

Radiosource :
Objet céleste n'émettant pas de lumière visible mais pouvant être détecté grâce à un fort rayonnement d'ondes radio.

Radiotélescope :
Appareil qui comporte un récepteur radio et une antenne. Il permet de prendre des clichés et de capter des messages venant de l'espace.

Supernova :
Géante rouge qui s'est effondrée sur elle-même, surchauffant ainsi ses couches externes et provoquant des explosions.

Système solaire :
Soleil, planètes et autres corps qui tournent autour de lui.

Tritium :
L'un des deux isotopes radioactifs de l'hydrogène. L'autre est le deutérium.

Trou noir :
Objet massif — d'ordinaire une étoile ratatinée —, d'une densité telle que même la lumière ne peut échapper à sa gravité.

Univers :
Ensemble de tout ce dont nous connaissons ou supposons l'existence.

Isaac Asimov

Né en 1920 en Russie, Isaac Asimov a suivi très jeune ses parents aux États-Unis, où il a fait des études de biochimiste avant de devenir l'un des écrivains les plus féconds de notre siècle. On lui doit plus de 400 titres publiés dans des domaines aussi différents que la science, l'histoire, la théorie du langage, les romans fantastiques et de science fiction. Sa brillante imagination et sa vaste érudition ont su lui gagner l'attachement de ses lecteurs, enfants comme adultes. Il a obtenu le prix Hugo de la science- fiction et le prix Westinghouse de l'Association américaine attribué à des ouvrages scientifiques. Il est surprenant de constater que de nombreuses anticipations d'Isaac Asimov se sont révélées prémonitoires. Et c'est là une des raisons de l'attrait qu'exercent ses textes.

Isaac Asimov a déjà beaucoup écrit pour les jeunes et son intérêt pour la littérature de jeunesse ne fait que croître avec les années. Passionné à traquer le savoir, il cherche à faire partager ses découvertes, à les redire avec ses mots à lui, en les rendant plus accessibles, plus facilement compréhensibles. Il possède de remarquables talents de pédagogue : sa plume, quand il traite de la science, est animée d'un tel enthousiasme pour son sujet qu'on ne peut s'empêcher de le partager. Mais Isaac Asimov ne se contente pas de transmettre des connaissances, il est profondément préoccupé par les conséquences que peut avoir la science sur le destin de l'homme.

"Mon message, c'est que vous vous souveniez toujours que la science, si elle est bien orientée, est capable de résoudre les graves problèmes qui se posent à nous aujourd'hui. Et qu'elle peut aussi bien, si l'on en fait un mauvais usage, anéantir l'humanité. La mission des jeunes, c'est d'acquérir les connaissances qui leur permettront de peser sur l'utilisation qui en est faite."

Isaac Asimov

Titres parus :

Les comètes
ont-elles tué les dinosaures ?
Fusées, sondes et satellites
Uranus : la planète couchée
Mars, notre mystérieuse voisine
Pulsars, quasars et trous noirs
Les astéroïdes
Notre système solaire
La Lune

A paraître :

Le Soleil
Notre Voie lactée
et les autres galaxies
L'astronomie antique
La Terre : notre base de départ
Comment est né l'Univers
Saturne : la belle aux anneaux
Le guide de l'observateur spatial
Les objets volants non identifiés
Naissance et mort des étoiles
Y-a-t-il de la vie
sur les autres planètes ?
Jupiter : le géant tacheté
Mercure : la planète tranquille
Science-fiction et faits de science
Les déchets cosmiques
L'astronomie aujourd'hui
La colonisation
des planètes et des étoiles
Comètes et météores
La mythologie et l'univers
Vols spatiaux habités
Pluton : une planète double
Vénus : un mystère bien enveloppé
Les programmes
spatiaux dans le monde
Neptune : la planète glacée
Le génie astronomique

La Bibliothèque de l'Univers

On comprend qu'avec de telles préoccupations, Isaac Asimov ait été amené à s'intéresser à l'espace, où se trouvent les clés de l'apparition et du maintien de la vie sur la Terre. Le cosmos a tout particulièrement inspiré les œuvres d'imagination d'Asimov, mais ce dernier lui a également consacré des études d'un niveau élevé.

Et voici que maintenant, Isaac Asimov s'est attelé à la rédaction d'une véritable Bibliothèque de l'Univers, source d'informations unique en son genre, qui englobe à la fois le passé, le présent et l'avenir. Pendant des mois de préparation, l'auteur s'est interrogé sur ce que sera l'espace quand nos enfants auront grandi. Ils seront témoins de l'établissement d'une station spatiale, de la lente mise en route d'exploitations minières sur le sol de la Lune. Ils suivront peut-être le vol d'une équipe mixte USA/URSS vers Mars.

La passion d'Asimov à "enseigner l'espace" n'est pas une fin en soi. *"Plus il y aura d'êtres humains captivés par la science, écrit-il, et plus notre société sera en sécurité."*

Aubin Imprimeur Ligugé, Poitiers — 9-1989 — Dépôt légal : octobre 1989 — N° d'édition 16141 — N° d'impression P 32348 — ISBN 2-08-161454-5